La Planète des Libris

Une série adaptée de l'œuvre *Le Petit Prince*, d'Antoine
de Saint-Exupéry, pour la télévision par Matthieu Delaporte,
Alexandre de la Patellière et Bertrand Gatignol.
Réalisée par Pierre-Alain Chartier.

D'après l'épisode *La Planète des Libris*,
écrit par Agnès Bidaud.

Le Petit Prince™ © 2012
D'après le chef-d'œuvre d'Antoine de Saint-Exupéry

Conception graphique du roman : cedricramadier.com

Le Petit Prince

La Planète des Libris

Adaptation de Fabrice Colin

GALLIMARD JEUNESSE

Les nouvelles aventures du Petit Prince

Sur l'astéroïde B612, le Petit Prince, son fidèle Renard et sa chère Rose mènent une existence harmonieuse. Jusqu'au jour où le rusé Serpent tente de séduire la Rose. Rendu fou de rage par son échec, il décide de se venger. Éteignant une à une les planètes de la galaxie, il met le Petit Prince au défi de l'arrêter !

Accompagné de Renard, le Petit Prince se lance à la poursuite du Serpent, à bord de son avion, pour sauver les planètes et leurs habitants. Dans de périlleuses missions, il devra résoudre des énigmes et éviter les nombreux pièges que son ennemi sème sur sa route.

Mais avant de partir, il promet à sa Rose de lui écrire pour lui raconter ses fabuleuses aventures.

☆ Le Petit Prince ☆

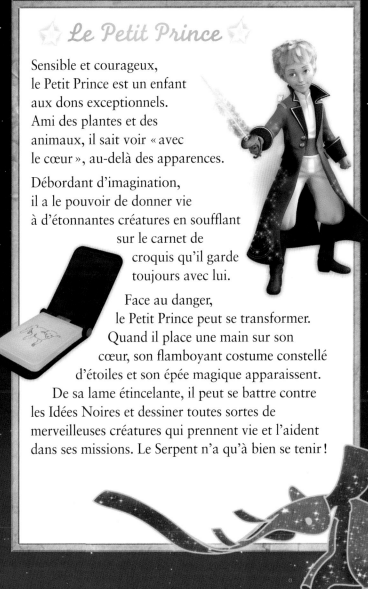

Sensible et courageux,
le Petit Prince est un enfant
aux dons exceptionnels.
Ami des plantes et des
animaux, il sait voir « avec
le cœur », au-delà des apparences.

Débordant d'imagination,
il a le pouvoir de donner vie
à d'étonnantes créatures en soufflant
sur le carnet de
croquis qu'il garde
toujours avec lui.

Face au danger,
le Petit Prince peut se transformer.
Quand il place une main sur son
cœur, son flamboyant costume constellé
d'étoiles et son épée magique apparaissent.
De sa lame étincelante, il peut se battre contre
les Idées Noires et dessiner toutes sortes de
merveilleuses créatures qui prennent vie et l'aident
dans ses missions. Le Serpent n'a qu'à bien se tenir !

Renard

Renard accompagne le Petit Prince dans toutes ses aventures. Drôle, souvent râleur, parfois un peu froussard, il aime qu'on s'occupe de lui.

Mais il est aussi astucieux et aveuglément fidèle, et n'abandonnera jamais son ami dans les moments difficiles.

Pour lui, après une aventure pleine d'émotions, rien de tel qu'une partie de dames !

La Rose

Coquette de nature, impatiente et fragile, la Rose est la meilleure amie du Petit Prince, sa confidente passionnée.

Seule sur sa planète, elle attend chaque lettre du Petit Prince comme un trésor, et vit ses aventures à travers les mots que celui-ci lui envoie par-delà les étoiles…

✦ Le Serpent ✦

Rusé et tentateur, le Serpent utilise les mauvaises pensées des adultes pour semer le désordre partout où il passe.

Ce qui l'énerve le plus, chez le Petit Prince, c'est son innocence. Si seulement il pouvait le pousser à être un peu moins parfait !

✦ Les Idées Noires ✦

Ces créatures noires comme la suie aident le Serpent à accomplir son horrible besogne comme de bons petits soldats.

Obéissant aux ordres de leur maître, elles sont profondément stupides, mais deviennent redoutables lorsqu'elles attaquent en groupe sous la forme d'un monstre !

1

Au voleur !

Lancés à la poursuite du Serpent, le Petit Prince et Renard jouaient en riant sur les ailes de leur avion.

– Attrape-moi si tu peux ! lança Renard.

– Regarde, l'interrompit son ami. Cette planète a l'air si triste ! Allons-y !

L'avion mit le cap sur la planète. Arrivé à la surface, il freina. Ses deux passagers mirent le pied sur un sol brun et aride.

Une feuille de papier, venue se poser sur le museau de Renard, le fit éternuer. Le Petit Prince en attrapa une autre au vol.

– Une page de livre ! s'écria-t-il, étonné. Il y a la lettre B écrite dessus.

– J'ai un A inscrit sur la mienne, remarqua Renard.

Une troisième feuille atterrit non loin, marquée de la lettre C. Puis un D, un E, et d'autres lettres dessinèrent un chemin. Le Petit Prince et Renard le suivirent. Parvenus à la lettre Z, ils découvrirent une porte frappée du numéro A 42692. Le Petit Prince l'ouvrit, et les deux amis sortirent par un kiosque à journaux au milieu d'un square.

Des habitants étaient assis sur des bancs et lisaient. Des passants marchaient, plongés dans d'épais volumes. Partout se dressaient des immeubles en forme de lettres. Deux hommes élégants se croisèrent, levant leur chapeau.

– Bonjour, fit le premier.

– Je viens juste de finir ce livre :

un roman policier formidable, dit l'autre.

— Il y a tellement de merveilleux romans ! Tenez, je viens de terminer celui-ci.

Les deux hommes s'échangèrent leurs livres et repartirent, aussitôt absorbés.

— Tu as vu ? s'exclama Renard. Les gens se donnent des livres alors qu'ils ne se connaissent même pas !

— Oui, tout le monde semble aimer lire sur cette planète, ajouta son ami.

Soudain, un mince personnage coiffé d'un haut-de-forme déboula dans le square en jouant de l'accordéon. Sur son passage, les livres s'envolèrent, comme arrachés des mains de leurs lecteurs ! L'inconnu disparut dans une ruelle, suivi de son butin.

– Au voleur, rendez-moi mon livre !

Des sanglots s'élevèrent. C'était une petite fille, assise sur un banc. Le Petit Prince s'agenouilla près d'elle.

– Bonjour, je suis le Petit Prince, et voici mon ami Renard. Pourquoi es-tu si triste ?

– On m'a volé mon livre préféré, expliqua-t-elle en reniflant.

Renard bondit sur le banc et entama une série de grimaces qui rendirent le sourire à la fillette.

– Êtes-vous vraiment un prince ? demanda-t-elle en séchant ses larmes.

– Absolument !

L'enfant se présenta alors :

– Je m'appelle Myriade.

– Renard et moi allons t'aider à retrouver ton livre, promit le Petit Prince.

– Oh, ce serait formidable ! applaudit Myriade.

Mais quelque chose dans le ciel fit aussitôt retomber sa joie.

– Attention, derrière vous ! Un gros nuage de méchants !

– Les Idées Noires ! grogna Renard en reconnaissant ses vieilles ennemies.

– Elles sont toujours là quand les livres disparaissent, expliqua Myriade. Venez, je sais où nous cacher.

Tous trois s'engouffrèrent dans un labyrinthe de ruelles.

– Le Serpent ne doit pas être loin, s'inquiéta le Petit Prince. Vite, elles nous rattrapent !

– Par ici ! cria Myriade.

Elle entra dans une maison, avec les deux amis. Les Idées Noires, impuissantes, se cognèrent contre la porte. Sauvés, mais de justesse !

2
Bibliothèque en péril!

De toute évidence, la pièce dans laquelle le trio se trouvait avait été pleine de livres autrefois. Désormais, les étagères étaient presque vides.

— Les Idées Noires obéissent au Serpent, expliqua Renard : une créature malveillante! Ah, si je le tenais, celui-là! Grrrr!

— Il n'est sans doute pas étranger à

cette histoire de vol de livres, reprit le Petit Prince. À propos, sur quelle planète sommes-nous ?

– La planète des Libris, répondit le père de Myriade en pénétrant dans la pièce.

Myriade se jeta dans ses bras.

– Papa ! J'étais au square et « IL » m'a volé mon livre préféré !

– Quoi ? Le voleur s'en prend aux enfants, maintenant ? On ne peut plus lire nulle part ! Et qui sont tes nouveaux amis ?

– Lui, c'est un prince, fit Myriade, et voici son ami Renard. Ils m'ont aidée à échapper aux Idées Noires.

– Bienvenue, s'exclama le père. Un prince et un renard ? Nous aurions surtout besoin d'un éditeur... Les livres sont devenus si rares avec tous ces vols !

Renard et Myriade se mirent à jouer ensemble, tandis que le Petit Prince et le père de la fillette discutaient.

– Mais pourquoi voler des livres ? s'étonna le Petit Prince.

– Mystère. Ici, chacun a son idée sur le sujet. Anatole, le directeur de notre *Gazette*, accuse Balthazar, le bibliothécaire, de vouloir réunir tous les livres pour lui. Balthazar nie, évidemment. Pendant ce temps, les vols continuent. Et il se passe une chose étrange. Venez voir.

Ils se dirigèrent vers la fenêtre. Un haut bâtiment orné de lettres géantes se dressait devant eux.

– Voici notre bibliothèque. Depuis peu, elle s'enfonce dans le sol.

– C'est tragique : tous les livres vont disparaître ! s'alarma le Petit Prince.

– Balthazar prétend qu'il s'en occupe, mais le premier étage est déjà complètement sous terre ! De nombreux Libris pensent qu'Anatole a raison au sujet des vols de livres. Du coup, Balthazar ne veut plus parler à personne.

– Quel est votre avis ? demanda le Petit Prince.

– Je connais Balthazar depuis très longtemps et je ne peux pas croire qu'il soit un voleur. Malheureusement, je ne vois pas qui d'autre…

– Un bibliothécaire qui vole des livres ? intervint Renard. Il en a déjà plein !

Le Petit Prince songea au Serpent et regarda Renard d'un air entendu. Puis il se tourna vers Myriade.

– Si ton papa est d'accord, et si tu veux bien nous aider, nous allons essayer de parler à Balthazar et de retrouver ton livre.

– Oh, s'il te plaît, dis oui, papa !

Le Libris ouvrit les mains.

– Je vous confie ma fille, Petit Prince.

Myriade, folle de joie, se mit à danser avec Renard.

3

Venue du ciel...

La bibliothèque comptait une dizaine d'étages, mais le premier avait disparu, tout comme la porte d'entrée. Quand les trois amis arrivèrent, des Libris étaient rassemblés devant le bâtiment, très en colère.

– Rends-nous nos livres, criaient-ils. Balthazar, montre-toi !

La fillette enjamba un balcon qui se

trouvait au niveau du sol et poussa les battants d'une fenêtre. Elle s'ouvrit, et un visage peu commode apparut, coiffé d'un haut-de-forme.

– Quoi, encore ?

– Bonjour, Joseph, dit la fillette. J'aimerais juste présenter mes nouveaux amis à Balthazar.

– Il ne veut voir personne !

La fenêtre se referma violemment. Le Petit Prince frappa à son tour.

– Je suis le Petit Prince. J'aide Myriade à retrouver son livre. C'est une urgence, la bibliothèque s'enfonce !

– Et qui es-tu pour croire que tu peux changer les choses ? lança durement Joseph. La bibliothèque est fermée jusqu'à nouvel ordre : c'est trop dangereux pour les enfants.

Myriade semblait désespérée.

Le Petit Prince posa alors sa main sur son cœur et revêtit son costume étoilé sous le regard émerveillé de la fillette. Brandissant son épée, il traça un dessin dans les airs.

– Ce dont nous avons besoin doit être grand et agile, annonça-t-il. Voici notre monture magique !

À ces mots, son ami le Paresseux géant apparut. Le Petit Prince sauta sur son dos, accompagné de Renard et de Myriade. La créature commença l'ascension vertigineuse de l'immeuble.

Surgissant de l'intérieur, d'immenses mains formées d'Idées Noires attaquèrent le Paresseux. Myriade se cramponna à la queue de Renard qui glapit, mais tint bon.

– Encore vous ! s'exclama le Petit Prince. Accrochez-vous, mes amis !

Le Paresseux bondit de fenêtre en fenêtre, évitant de justesse les Idées Noires. Le Petit Prince défendait courageusement sa monture à grands coups d'épée.

Au bout de cette ascension héroïque, la créature déposa le trio

sur la terrasse de la bibliothèque, où se trouvaient un arbre et un banc. Un homme mince s'avança. Il portait de petites lunettes et un canotier.

– Que me voulez-vous ?

– Je suis le Petit Prince et voici mon ami Renard. Nous accompagnons Myriade qui cherche son livre et...

– Oui, je vois, le coupa Balthazar. J'ai déjà chargé Joseph de mener l'enquête sur la disparition de ces livres. Je ne peux rien faire de plus.

Et Balthazar leur tourna le dos, prit un escabeau et grimpa dans son arbre. Des livres étaient accrochés aux branches.

– Comme c'est beau ! s'exclama Myriade.

Balthazar sourit timidement. Il désigna un panier.

– Myriade, peux-tu me passer ce livre, s'il te plaît? Cet arbre à livres est pour Flore, elle choisira celui qu'elle préfère. Flore est l'élue de mon cœur, elle adore que je lui lise des histoires. D'ailleurs, elle ne va pas tarder! ajouta-t-il en regardant nerveusement le ciel.

Il descendit de son escabeau.

– Merci de la visite. Le temps est venu pour vous de partir, conclut-il en poussant nos trois amis vers l'ascenseur au centre de la terrasse.

– Alors tu ne veux pas m'aider ? demanda Myriade, déçue. Ils disent que c'est toi le voleur de livres !

Balthazar se mit en colère.

– Je n'ai jamais rien volé de ma vie ! Je n'y suis pour rien !

– Moi, je vous crois, dit le Petit Prince en posant une main sur son épaule.

Balthazar resta sans voix.

– Il n'empêche, continua le Petit Prince : pourquoi la bibliothèque s'enfonce-t-elle chaque jour davantage ?

– Joseph s'en occupe, répondit Balthazar. Je vous promets que je vous ferai visiter la bibliothèque, où nous trouverons peut-être un autre exemplaire de ton livre, Myriade. Mais plus tard, car Flore va arriver.

Myriade battit des mains, aux anges.

Soudain, l'ombre d'un nuage glissa sur le sol. Balthazar leva les yeux. Sur le nuage était posée une jolie maison. Une balancelle en descendit.

Une jeune femme blonde, très belle, y était assise et les saluait joyeusement. Balthazar s'approcha d'elle et lui fit un baisemain.

– De la visite ? dit la jeune femme en regardant les trois amis. J'espère que tes invités resteront pour t'écouter lire, Balthazar. Tes histoires sont si merveilleuses !

Balthazar rougit et se tourna vers le Petit Prince.

– Eh bien, si Flore n'y voit pas d'inconvénient, vous êtes les bienvenus !

– Avec plaisir ! s'exclama le Petit Prince.

Tous se couchèrent à plat ventre dans l'herbe, tandis que Flore choisissait un livre dans l'arbre.

– Celui-ci me plaît bien.

Balthazar s'assit sur le banc et Flore s'installa sur sa balancelle. Balthazar tourna la première page et commença à raconter l'histoire, tandis qu'un crépuscule rose et bleuté envahissait la ville.

4
Histoire(s) d'amour

Non loin de là, un homme à moustache, perché sur son balcon, observait la scène à la longue-vue. L'air triste, il regagna son bureau. Dans l'ombre, un sifflement accompagnait ses sombres pensées.

– C'est toi qui devrais être avec elle, non ? glissa le Serpent d'un air faussement innocent. Balthazar est

beaucoup moins bien que toi! Tu dois reconquérir le cœur de Flore. Fais-moi confiance…

Anatole, le directeur de *La Gazette* fronça les sourcils.

– Sans livres, les Libris n'auront bientôt plus que mon journal à lire. Je vais devenir puissant et Flore sera obligée de revenir vers moi !

– Oh, oui ! l'encouragea le Serpent. Une fois la bibliothèque disparue, elle reviendra. Plus que 4 582 livres à voler ! Ce charmeur de Balthazar n'en a plus pour longtemps…

Sûr de sa victoire, le Serpent s'évanouit dans un nuage de fumée.

De sous son bureau, Anatole sortit un paquet-cadeau qu'il posa devant lui. Puis il prit une feuille et commença à écrire une lettre d'amour.

La nuit était venue. Myriade et Renard s'étaient endormis dans l'herbe. Balthazar achevait son histoire. Étonné, le Petit Prince remarqua qu'il tenait son livre à l'envers.

– Merci, très cher, murmura Flore, émue, cette histoire était magnifique.

– Je ne suis qu'un modeste lecteur, protesta Balthazar, confus.

– Tu es bien plus que ça. Mais il est tard et je dois vous laisser.

– Je comprends. J'ai moi aussi quelques livres à classer. Nous chercherons le livre de Myriade demain.

– De quoi parles-tu ? demanda Flore, intriguée.

– Quelqu'un a volé son livre préféré, expliqua le Petit Prince. Certains accusent même Balthazar.

– Les gens sont stupides ! s'agaça Flore. Viens, je vais te donner un livre pour ton amie. Cela lui fera une surprise à son réveil.

Le Petit Prince rejoignit Flore sur sa balancelle puis remonta avec elle sur son nuage. Une montagne de cadeaux s'empilait près de sa maisonnette.

– Vous en avez, des cadeaux !

– J'ai un admirateur un peu trop insistant, répondit Flore. Attends-moi ici une minute. (L'instant d'après, elle revenait, un livre à la main.) Tiens, j'espère qu'il lui plaira.

– Merci, Flore. Mais vous ne voulez pas savoir ce qu'il y a dans ces paquets ?

– Pas vraiment. C'est une histoire compliquée. Je travaillais pour Anatole, autrefois. Je rédigeais des articles pour sa *Gazette*. Il est tombé amoureux de moi et a commencé à me couvrir de cadeaux. J'étais ennuyée. Un jour, je lui ai demandé d'arrêter car je n'étais pas amoureuse de lui. Anatole a d'abord été très triste, puis il s'est fâché. J'ai préféré partir. Les cadeaux ont continué de s'entasser.

– Il vous aime sûrement encore, murmura le Petit Prince.

– Peut-être, mais il accuse Balthazar de ces horribles vols, et cela me met en colère.

– Je vous comprends, approuva le Petit Prince. Au fait, comment lit-on, sur cette planète ? En tenant le livre à l'envers ?

– Bien sûr que non, répondit Flore en riant. Pourquoi cette question ?

– Pour rien. Bon, je dois rejoindre Renard et Myriade. Balthazar a promis de nous aider. Merci encore. À bientôt !

D'un bond léger, il grimpa sur la balancelle et se laissa redescendre vers la bibliothèque.

5
Nouvelles secousses

Le soleil se hissait au-dessus des toits. Le Petit Prince écrivait à sa chère Rose en attendant le réveil de Myriade et Renard. Son amie lui manquait tellement !

Bientôt, la fillette ouvrit les yeux et découvrit le livre posé à côté d'elle.

– De la part de Flore, expliqua le Petit Prince.

Myriade serra le livre contre son cœur. À cet instant, Balthazar arriva avec un panier de pommes qu'il distribua aux trois amis.

– Bonjour, les marmottes. Jolie nuit sous les étoiles ? Myriade, je n'ai pas oublié : nous allons chercher un autre exemplaire de ton livre.

Il appela Joseph par un interphone. L'employé les rejoignit sur la terrasse et tous entrèrent dans l'ascenseur, qui descendit dans les profondeurs.

– Alors comme ça, vous avez réussi à vous introduire ici ! bougonna Joseph. Je peux les renvoyer d'où ils viennent, Balthazar.

– Non, laisse, répondit le bibliothécaire. Myriade, comment est ton livre ?

– Il sent le chocolat.

Balthazar fit signe à Joseph, qui appuya sur un bouton.

– Dixième étage, annonça sèchement Joseph. Ici, les volumes sont classés selon leur parfum. Ne touchez à rien, des livres disparaissent en ce moment.

– On sait, répondit Renard, agacé. C'est même pour ça qu'on est là !

La cabine s'arrêta. Renard, le Petit Prince et Myriade suivirent Balthazar dans les rayons.

– Il devrait être par ici, dit-il.

Renard, lui, était allé fureter un peu plus loin.

– Oh! fit-il, alléché. Ceux-là sentent le camembert!

Myriade prit des livres sur les étagères et les reposa, déçue.

– Il n'est pas là.

Balthazar secoua la tête, désemparé.

– Donne-moi un autre indice.

– Le titre, par exemple. C'est facile avec ça, non? lança Renard, très fier de son idée.

– Je l'ai oublié. Je me rappelle juste qu'il était très doux, dit Myriade.

– Viens avec moi, lui proposa Balthazar.

Soudain, une violente secousse agita le bâtiment. Des livres tombèrent des étagères.

– La bibliothèque a dû s'enfoncer encore, commenta Balthazar. Joseph, il faut arrêter ces secousses ! Mais d'abord, emmène-nous à l'étage des couvertures les plus douces, vite !

Tous remontèrent dans l'ascenseur.

– Elle a combien d'étages, votre bibliothèque ? demanda Renard.

– Un renard curieux ! Bizarre, répondit Joseph d'un ton cassant.

– À propos de curiosité, lança Renard du tac au tac, c'est quoi ce bouton rouge, tout en bas ?

– C'est l'étage de Joseph au sous-sol, expliqua Balthazar. Il y restaure les livres abîmés.

L'ascenseur continuait sa descente. Joseph annonça :

– Étage 8, étage des livres aux pages fines. Étage 7 : étage des livres aux couvertures les plus douces…

Brusquement, un nouveau choc, plus violent que le premier, secoua l'ascenseur. Balthazar, inquiet, préféra raccompagner ses hôtes vers la sortie.

Une fois à l'extérieur, il promit à Myriade de s'occuper de son livre quand les problèmes de la bibliothèque seraient réglés.

Le Petit Prince tendit à Balthazar un poème qu'il avait écrit pour le remercier de son aide. Balthazar le parcourut des yeux.

– Quel merveilleux poème !

– Vous pouvez nous le lire ? demanda Myriade.

– Euh, je n'ai pas le temps ! Joseph ? Où est-il encore passé, celui-ci ? Bon, à plus tard !

Et il rentra en toute hâte dans sa bibliothèque.

6
Une ancienne blessure

Les trois amis se retrouvèrent seuls dans la rue. Renard était très déçu.

– On ne sait toujours pas où est le livre de Myriade et surtout qui l'a volé, râla-t-il.

– En tout cas, dit le Petit Prince, ce n'est pas Balthazar.

– Tu en es sûr ? souffla Myriade.

– Depuis le début. Maintenant, j'en ai aussi la preuve. Balthazar ne sait pas lire !

– Quoi ? s'étouffa Renard.

– Je ne lui ai pas donné un poème : juste la liste de cadeaux que je vais rapporter à ma Rose !

Renard et Myriade en restèrent bouche bée.

– Voilà qui explique le drôle de rangement de sa bibliothèque, fit remarquer Renard.

– Mais alors, comment s'y prend-il pour lire des histoires à Flore ? demanda Myriade.

– Je crois qu'il les invente, répondit le Petit Prince. En tout cas, on ne peut pas l'accuser de voler les livres. Pour l'heure, je ne vois qu'un seul suspect : Anatole !

– Pourquoi lui ? questionna Myriade.

Le Petit Prince sourit et leur révéla ce qu'il avait appris :

– Quand je suis allé chez Flore, elle m'a raconté qu'Anatole était amoureux d'elle. Il ne supporte pas qu'elle en aime un autre. Il est temps de lui rendre une petite visite !

Quand ils arrivèrent devant l'immeuble de *La Gazette*, la grille était fermée. Pourtant, le bâtiment n'était pas désert : en un instant, les Idées Noires surgirent et tournoyèrent autour d'eux.

Le Petit Prince entraîna ses amis à la recherche d'une autre entrée. Leurs ennemies grimaçantes les prirent en chasse. De nouveau, le Petit Prince revêtit son costume étoilé.

En pleine course, Renard remarqua des soupiraux. Pendant que le Petit Prince écartait quelques Idées Noires trop audacieuses, il poussa de toute la force de ses pattes et finit par en ouvrir un. Il sauta à l'intérieur du bâtiment, suivi par ses amis. Le Petit Prince referma le soupirail derrière eux, mais quelques Idées Noires réussirent tout de même à entrer.

Nos trois amis regardèrent autour d'eux : ils se trouvaient dans la salle d'impression de *La Gazette*.

C'est alors qu'effrayée par une Idée Noire, Myriade trébucha et tomba sur le tapis roulant de la rotative. Renard bondit à son secours, mais tous deux furent entraînés vers un énorme rouleau qui allait les écraser !

Hélas ! le Petit Prince, occupé à

repousser les dernières Idées Noires, ne pouvait les secourir.

– Au secours ! hurla Renard. On va finir aplatis comme des crêpes !

Pendant ce temps, au sommet de sa tour, Anatole regagnait son bureau, un livre à la main.

– Ces petits vauriens sont immobilisés. Ils ont failli tout faire rater ! Mais maintenant, plus personne ne pourra innocenter Balthazar !

Sur son balcon, il ajusta sa longue-vue afin d'observer ce qui se passait sur la terrasse de la bibliothèque. Le Serpent se réjouissait d'avance.

– Bravo, Anatole ! Il te faut maintenant voler les derniers livres des Libris afin que cette bibliothèque s'effondre complètement !

– Et Balthazar quittera cette ville sous les sifflets, acheva Anatole.

Il appela son complice… qui n'était autre que Joseph !

– Il est temps d'accélérer la cadence, Joseph ! Parcours la ville et, surtout, n'oublie aucun livre. Une fois que nous serons débarrassés de ces

enfants et de ce Renard, il faudra en terminer avec Balthazar !

Joseph sourit, attaqua son air d'accordéon et s'éclipsa.

Quelques étages plus bas, le Petit Prince bataillait toujours contre les Idées Noires. En même temps, il devait à tout prix arrêter la machine infernale pour sauver Myriade et Renard !

Profitant d'un instant de répit, il dessina de la pointe de son épée une énorme bête aux puissantes pattes : l'éléphanocéroc !

– Aide-moi ! supplia le Petit Prince.

La créature magique attrapa entre ses lourdes pattes le tapis roulant où Myriade et Renard couraient à perdre haleine en sens inverse. Grâce à sa force extraordinaire, elle stoppa net la rotative.

– Victoire ! cria Renard en sautant à terre au côté de la fillette.

Il s'agissait maintenant de rejoindre au plus vite le bureau d'Anatole. Le Petit Prince entraîna ses amis dans les escaliers.

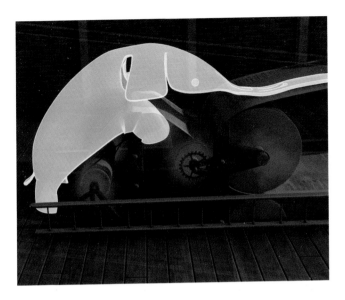

Quand ils arrivèrent en haut, Anatole se retourna, surpris.

– Comment oses-tu entrer chez moi ainsi ?

– Anatole, je suis à la recherche du livre volé de Myriade, répondit le Petit Prince en s'avançant.

– C'est Balthazar que tu dois aller voir !

– Il n'a rien à se reprocher, vous le savez bien.

Soudain, le Serpent apparut, plus grand que jamais. Il s'enroula autour d'Anatole.

– Tiens, tiens, qui voilà ? Le Petit Prince qui complote avec Balthazar ?

– Anatole, s'écria le Petit Prince, ne vous laissez pas séduire par le

Serpent! Votre amour pour Flore ne doit pas se transformer en haine!

– Ne l'écoute pas, siffla rageusement le Serpent. Ce n'est qu'un enfant, il ne connaît rien à l'amour. La preuve, il a abandonné sa Rose…

Touché au cœur, le Petit Prince se tut.

– Sors immédiatement! ordonna Anatole. Je ne veux plus te voir ici!

Le Petit Prince obéit : le Serpent avait gagné cette manche…

7
Le voleur démasqué

Abattus, Myriade, le Petit Prince et Renard reprirent le chemin de la bibliothèque. Les Libris qu'ils croisaient continuaient à lire, mais partageaient désormais leurs livres en se tordant le cou. Ils ne semblaient pas très heureux.

Renard interrogea son ami :
– Anatole a-t-il avoué ?

– Ce n'est pas aussi simple. Il est sous l'influence du Serpent.

Myriade allait poser une question à son tour quand la terre se remit à trembler. Un nouvel étage de la bibliothèque disparut sous leurs yeux horrifiés.

– Vite ! souffla le Petit Prince. Il faut aller aider Balthazar !

La tête inquiète du bibliothécaire apparut à une fenêtre.

– Tout s'écroule ! Les enfants, avez-vous vu Joseph ?

– Au sous-sol ? suggéra Renard.

Le trio suivit Balthazar à l'intérieur et s'engouffra dans l'ascenseur. Balthazar pressa le bouton rouge et la cabine descendit à l'étage de Joseph.

Arrivés en bas, ils découvrirent avec stupéfaction des centaines de livres

qui volaient comme des oiseaux. Un air d'accordéon flottait dans l'air.

– La musique du voleur, s'écria Myriade, je la reconnais !

– Nom d'un chapitre ! s'exclama Balthazar.

L'ascenseur s'était arrêté, mais la porte était coincée.

– Tirons tous, proposa le Petit Prince.

De toutes leurs forces, ils tirèrent sur les battants et la porte finit par céder. Balthazar se précipita à la rambarde. Le spectacle était incroyable : les livres volaient dans tous les sens puis venaient s'entasser au fond de la cave, alourdissant la bibliothèque toujours plus. Le pauvre bibliothécaire n'en croyait pas ses yeux.

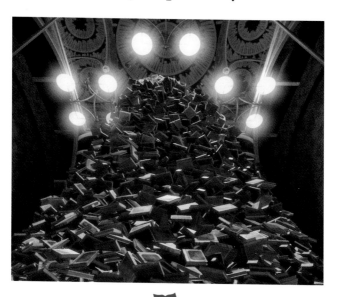

– Les livres! Tous les livres des Libris sont là!

À ce cri, Joseph s'arrêta de jouer. Démasqué, il tenta de s'enfuir. Le Petit Prince lui courut après, tandis que Renard passait par l'autre côté. Bientôt, il se retrouva piégé.

– Nous y voilà, voleur de livres! grogna Renard.

– Joseph, fit le Petit Prince, n'ayez pas peur. Je sais que tout ceci n'est pas votre idée, mais il faut arrêter…

– Anatole a raison! lança Joseph. Les livres vont tous disparaître, et c'est tant mieux.

– Pourquoi aides-tu Anatole à voler les livres? demanda Balthazar, choqué.

– Parce que je suis fatigué de les réparer! avoua Joseph.

– Tu es méchant! cria Myriade en se jetant sur lui pour le frapper de ses petits poings. Tu as volé mon livre!

Surpris par le chagrin de l'enfant, Joseph baissa piteusement la tête. Un peu honteux, il s'agenouilla et prit la fillette par les poignets.

– Excuse-moi. J'avais oublié combien on peut aimer un livre.

Un nouveau craquement fit trembler les murs. Sous le choc, l'accordéon échappa des mains de Joseph. En voulant le rattraper, il passa de l'autre côté de la balustrade. Les pieds dans le vide, il allait tomber ! Le Petit Prince le retint par le bras. Avec l'aide de Balthazar, il parvint à remonter Joseph et à le ramener du bon côté.

– La bibliothèque ne supporte plus le poids des livres ! s'alarma le Petit Prince. Il faut vider la cave de toute urgence !

– Mais ça va prendre beaucoup trop de temps ! observa Renard.

– Va vite ouvrir les fenêtres, répliqua le Petit Prince qui avait une idée derrière la tête.

Il ouvrit son carnet et souffla dessus. Une trompette apparut. Le Petit Prince commença à jouer le même air que Joseph. Sans résultat.

Joseph, qui commençait à comprendre de quoi il était responsable, suggéra :

– Joue la mélodie à l'envers !

Aussitôt dit, aussitôt fait. Cette fois, les livres se soulevèrent et s'envolè-

rent par les fenêtres. La bibliothèque cessa alors de s'enfoncer. Dehors, les Libris assistaient, éberlués, au sauvetage des livres. Fous de joie, ils attrapaient des exemplaires au vol.

Le Petit Prince jouait toujours, sous les hourras des Libris. Joseph, lui, regrettait amèrement ses actes :

– Comment ai-je pu… ?

Hélas ! une nouvelle secousse ébranla le bâtiment.

– Ça ne va pas assez vite, gémit Joseph. On n'aura jamais le temps.

– Tout ça à cause d'un amoureux jaloux, couina Renard.

– Amoureux ? Mais oui ! s'écria Balthazar. La voilà, la solution !

8
Ouvrez
les parapluies!

Le Petit Prince comprit aussitôt le message de Balthazar.

– Flore! Le nuage! Vite! s'exclama-t-il en poussant les autres vers l'ascenseur.

Il confia une mission à Myriade et Renard, qui filèrent dans les rues de la cité. Puis, accompagné de Balthazar, il rejoignit la terrasse en toute hâte.

Sur sa balancelle, Flore les attendait.

– Ma très chère Flore, fit Balthazar, l'heure est grave. Nous avons besoin de ton nuage…

Et il lui expliqua son plan.

– C'est une merveilleuse idée ! répondit la jeune femme. Venez !

Grimpant sur la balancelle, ils s'élevèrent aussitôt dans le ciel.

Pendant ce temps, Myriade et Renard couraient dans les rues en criant à tue-tête :

– Messieurs, mesdames ! Des parapluies ! Des parasols ! S'il vous plaît, pour sauver la bibliothèque, donnez-nous vos parapluies !

Peu après, le nuage de Flore vint se placer au-dessus de la bibliothèque. On lança des cordes, et des grappins s'accrochèrent à la bibliothèque.

Quand Myriade et Renard revinrent, ils apportaient une montagne de parapluies.

– Fantastique, les félicita le Petit Prince. Montez tout ça chez Flore !

Du haut de sa tour, Anatole suivait toute la scène, fou de rage, avec le

Serpent. Ne pouvant plus compter sur Joseph, il décida de passer à l'action…

Aidé par les Idées Noires, il reprit, un à un, leurs livres aux Libris et les jeta au fond de la bibliothèque pour qu'elle achève de s'enfoncer.

– C'est la fin de Balthazar ! Tout va s'écrouler, et Flore sera à moi !

Au signal du Petit Prince, Myriade, Flore et Balthazar ouvrirent les parapluies et les parasols qu'ils avaient plantés dans le nuage.

– Vite ! Le vent va nous donner un précieux coup de main !

Mais, manque de chance, une des cordes se rompit. La bibliothèque était toujours trop lourde.

Penché au bord de la terrasse, le Petit Prince découvrit alors Anatole et les Idées Noires. Comprenant ce qu'il se passait, il se précipita dans l'ascenseur.

– Cette bibliothèque va disparaître, et tout sera la faute de Balthazar ! hurlait Anatole en continuant à jeter des livres avec les Idées Noires.

Le Petit Prince s'approcha alors :

– Crois-tu vraiment que Flore va t'aimer si tu fais ça ?

– Flore ne m'aime pas, de toute façon, se défendit Anatole.

– Est-ce une raison pour haïr Balthazar ? Pour voler tous ces livres !

À ce moment, les Idées Noires s'évanouirent, laissant la place au Serpent. Le vieil ennemi du Petit Prince se dressa devant Anatole comme pour le protéger.

– Sornettes ! siffla-t-il, furieux. Ne l'écoute pas !

Le Petit Prince l'ignora.

– Aimer quelqu'un, ce n'est pas juste lui offrir des cadeaux. C'est lui donner de l'eau fraîche, passer du temps avec lui…, expliqua-t-il, ému, en pensant à sa Rose.

Le Serpent insista :

– Anatole, réagis ! Flore sera bientôt tienne.

– Tout ça ne sert à rien, s'interposa le Petit Prince. Balthazar ne sait pas lire. Même s'il n'avait plus de livres, il serait capable d'inventer une nouvelle histoire pour Flore…

La stupeur paralysa Anatole.

– Balthazar ne sait pas lire ?

– Si tu étais allé plus souvent dans sa bibliothèque, tu l'aurais peut-être découvert.

Comprenant qu'il avait perdu la partie, Anatole tomba à genoux. Le Serpent, lui, s'enfuit en sifflant de colère.

– Nous nous retrouverons, Petit Prince. Et tu n'es pas prêt de revoir ta Rose !

Anatole sentait la honte l'envahir. Le Petit Prince lui tendit la main pour l'aider à se relever. Le nuage de Flore descendit jusqu'à eux. Anatole se dirigea vers elle.

– Pardonne-moi. J'ignore ce qui m'a pris. J'étais tellement influencé par le Serpent que j'en suis devenu aveugle.

– Heureuse de retrouver enfin le vrai Anatole, sourit Flore.

– Lire est plus important que tout. Comment puis-je me racheter ? Je ne sais qu'offrir des cadeaux…

Le Petit Prince s'approcha, touché.

– Tu as tant d'autres choses à offrir : ton amitié, ton aide, ton sourire…

Anatole s'approcha de la montagne de cadeaux et les fit tomber du nuage. Puis il saisit deux cordes équipées de grappins.

– Anatole ? s'inquiéta le Petit Prince.

– Suis-moi et garde bien cette corde en main, répondit Anatole en lui tendant une extrémité.

Accompagnés de Renard, ils se dirigèrent tous deux vers *La Gazette*.

– Il faut fixer nos cordes à la rotative et la mettre en route, expliqua Anatole. Elle est assez puissante pour tirer la bibliothèque.

Il actionna un bouton et la rotative se mit à tourner à toute vitesse, tendant les cordes qu'Anatole et le Petit Prince avaient reliées au nuage de Flore. Peu à peu, la bibliothèque sor-

tit de terre. Il ne lui manquait plus
que dix petits centimètres.

– Ça marche ! se réjouit Renard.

Dehors, on entendait les cris de joie
des Libris.

– Je crois, fit le Petit Prince, que la
bibliothèque est sauvée. Bravo, Anatole !

Soulagé, le directeur de *La Gazette*
le regarda avec reconnaissance.

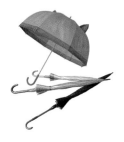

9
Un dernier cadeau

Sur le nuage, Flore se jeta au cou de Balthazar et l'embrassa joyeusement, tandis que Myriade dansait avec Joseph. Le Petit Prince et Renard les rejoignirent. Anatole s'approcha de Balthazar.

– Je suis désolé. Permets-moi seulement d'offrir un dernier cadeau à Flore.

Il s'avança vers elle et lui tendit une petite ombrelle.

– Il n'a rien compris, soupira Renard.

– Si, répliqua Anatole. J'ai compris que Flore aimait Balthazar. Mais nous pouvons tout de même être amis, non ?

Flore acquiesça, puis monta sur le toit de sa maison, ouvrit l'ombrelle et la fixa au toit.

– Elle est ravissante !

Un vent puissant s'engouffra alors sous l'ombrelle, soulevant la bibliothèque de quelques centimètres. La porte d'entrée apparaissait maintenant dans sa totalité.

Le Petit Prince sourit, heureux.

– Il suffit parfois de peu de chose pour que tout change dans la vie...

Tout semblait avoir fini pour le mieux.

– Mais moi, fit Myriade, ennuyée, je n'ai toujours pas retrouvé mon livre.

Dans la cave de la bibliothèque, chacun se mit à chercher activement dans le tas de livres.

– Il a sûrement dû s'envoler avec les autres, se lamenta la fillette.

– Comment est-il ? demanda Anatole.

– Il est doux, il sent bon le chocolat
et il a trois petites étoiles qui brillent
sur la couverture !

– Impossible de le retrouver, dit
Joseph. Je suis désolé, petite, tout est
ma faute.

– Attendez, intervint Balthazar :
j'ai une idée.

Il éteignit la lumière.

– Il me faut juste quelques secondes
pour que mes yeux s'habituent au
noir, expliqua-t-il.

Et soudain :

– Là ! Je le vois !

Sur la couverture, les trois étoiles
brillaient, phosphorescentes. Myriade
battit des mains. Elle allait de nouveau
pouvoir lire son histoire préférée !

Le temps des au revoir était maintenant arrivé. Tous avaient le cœur un peu serré.

– Merci mille fois, Petit Prince ! s'exclama Flore. (Elle caressa Renard.) À toi aussi, jolie petite boule de poil !

– Tu es un homme chanceux, Balthazar, ronronna Renard avec un clin d'œil.

Balthazar et Flore repartirent bras dessus, bras dessous.

– Il y a quelque chose que je dois t'avouer…, commença le bibliothécaire.

Flore posa un doigt sur sa bouche.

– Chut. Je sais que tu ne sais pas lire. Par contre, tu dois m'expliquer comment tu inventes des histoires si merveilleuses.

– Mon imagination ! C'est mon imagination qui fait tout le travail !

Le Petit Prince et Renard raccompagnèrent Myriade chez son père.

– Maintenant que tous les livres ont été rendus aux Libris, soupira Renard, nous devons partir.

– Merci infiniment pour votre aide, les félicita le père. Grâce à vous, notre planète a retrouvé son équilibre !

– Nous n'avons pas fait tant que ça, sourit le Petit Prince.

– Mais tu reviendras nous voir ? gémit Myriade.

– Promis, répondit le Petit Prince.

– Allons-y, dit Renard, rassuré. D'autres planètes nous attendent ! D'autres histoires merveilleuses !

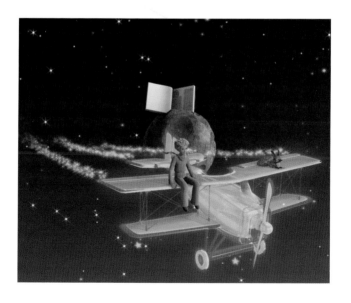

Le Petit Prince

L'aventure dans la galaxie continue !

1. La Planète du Temps

2. La Planète de l'Oiseau de Feu

3. La Planète des Éoliens

4. La Planète de la Musique

5. La Planète de Jade

6. La Planète de l'Astronome

7. La Planète de Géhom

8. La Planète des Libris

9. La Planète du Géant

(juin 2012)

Le papier de cet ouvrage est composé de fibres naturelles,
renouvelables, recyclables et fabriquées à partir de bois
provenant de forêts plantées et cultivées expressément
pour la fabrication de la pâte à papier.

Loi n° 49-956 du 16 juillet 1949 sur les publications
destinées à la jeunesse.

ISBN : 978-2-07-064377-6
Numéro d'édition : 237104
Dépôt légal : mars 2012
Imprimé en France chez Pollina - L59484